So wird es gemacht:

Öffne das LÜK®-Kontrollgerät und lege die Plättchen in den unbedruckten Deckel. Auf den Plättchen siehst du nun die Zahlen 1. bis 24. Für die Übungen in diesem Heft erhältst du jeweils bereits nach 12 gelösten Aufgaben ein Ergebnis.

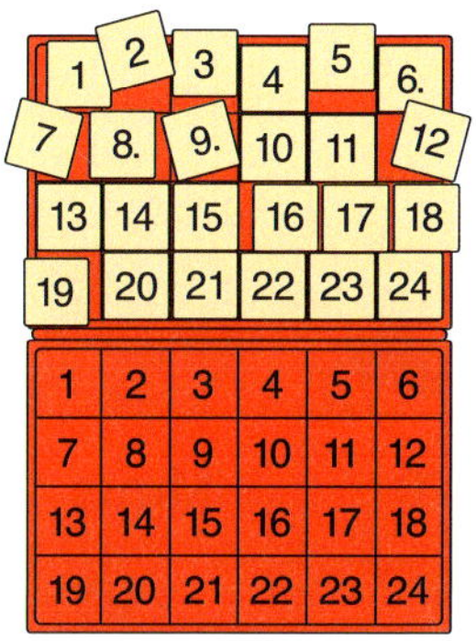

Beispiel: Seite 2

Nimm Plättchen 1. und sieh dir Aufgabe 1. an: Ordne **Katze** und **Hund** nach dem Abc. Was kommt zuerst? Die Antwort ist **Hund**. Lege also die 1. auf die Ziffer 19 im Kontrollgerät. Die Zahl **1** muss dabei nach oben zeigen.

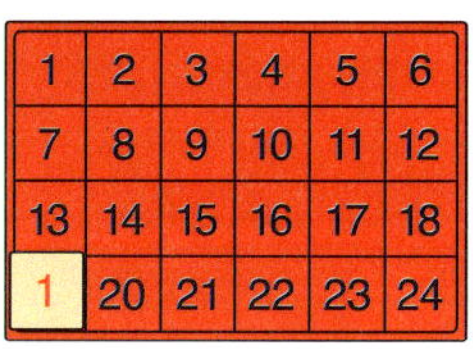

So arbeitest du weiter, bis alle Plättchen im Geräteboden liegen. Schließe dann das Gerät und drehe es um. Öffne es von der Rückseite. Wenn du das bei der Übungsreihe abgebildete Lösungsmuster siehst, hast du alle Aufgaben richtig gelöst.

Passen einige Plättchen nicht in das Muster, dann hast du dort Fehler gemacht. Drehe diese Plättchen da, wo sie liegen um und öffne es wieder. Jetzt kannst du sehen, welche Aufgaben du falsch gelöst hast. Nimm diese Plättchen heraus und suche die richtigen Ergebnisse. Kontrolliere dann noch einmal. Stimmt jetzt das Muster? Das System ist für alle Übungen gleich: Die roten Aufgabenziffern im Heft entsprechen immer den LÜK-Plättchen aus dem Kontrollgerät. Die Feldzahlen bei den Lösungen sagen dir, auf welche Felder im Kontrollgerät die Plättchen gelegt werden müssen.

Und nun viel Spaß!

Das Abc kennen

Ordne nach dem Abc.
Welches Wort kommt nach dem Abc zuerst?

1.

Katze 21	Hund 19

2.

Schaf 23	Ziege 24

3.

Hase 20	Fuchs 21

4.

Käfer 20	Maus 16

5.

Pferd 18	Esel 16

6.

Huhn 24	Schwein 19

7.

Buch	18
Heft	14
Stift	13

8.

Ranzen	22
Füller	15
Block	14

9.

Tafel	15
Kreide	22
Schwamm	17

10.

Pinsel	13
Becher	15
Farben	18

11.

lesen	13
schreiben	17
rechnen	22

12.

singen	14
rechnen	18
malen	17

Selbstlaute und Mitlaute

Welcher Selbstlaut fehlt?

1.

___pfel

A 21 | E 19

2.

G___rke

o 22 | u 24

3.

B___rne

u 23 | i 19

4.

T___mate

o 22 | a 13

5.

Sal___t

e 21 | a 13

6.

K___rsche

i 23 | e 14

Welcher Mitlaut fehlt?

7.

Ti___er

g 17 | r 15

8.

E___efant

n 18 | l 15

9.

Gi___affe

b 16 | r 20

10.

Zeb___a

r 14 | f 20

11.

Na___horn

n 18 | s 16

12.

___üffel

B 18 | G 17

Wörter in Silben gliedern 1

Setze die Silben zusammen.

1.	Ga	4.	Tas	ne	12	ser	6
2.	Löf	5.	Kan	ler	4	fel	3
3.	Mes	6.	Tel	se	2	bel	1

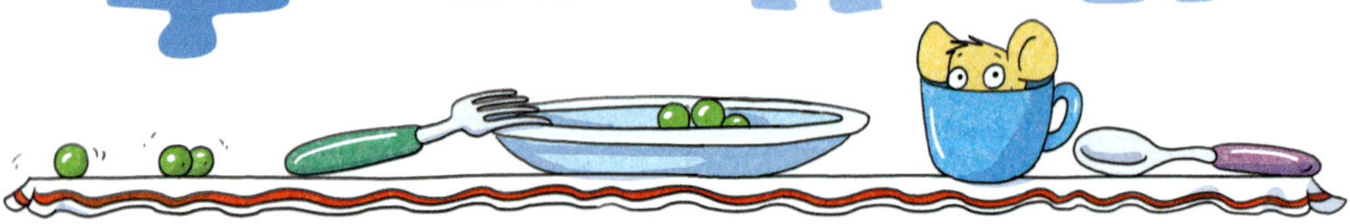

7.	Sä	10.	Sche	rer	8	gel	7
8.	Boh	11.	Na	mer	5	be	9
9.	Ham	12.	Schrau	re	11	ge	10

Wörter in Silben gliedern 2

Wie viele Silben hat das Wort?

1.	Rodelbahn		eine Silbe 2
2.	Tannenzapfenweitwurf		zwei Silben 6
3.	Lauf		drei Silben 3
4.	Wintersporttag		vier Silben 4
5.	Handballwettbewerb		fünf Silben 8
6.	Hochsprung		sechs Silben 5

7.	Zebrastreifen		eine Silbe 7
8.	Polizeiauto		zwei Silben 11
9.	Fußgänger		drei Silben 1
10.	Bus		vier Silben 12
11.	Straßenbahnschaffnerin		fünf Silben 10
12.	Ampel		sechs Silben 9

Selbstlaute in Silben erkennen

Welcher Selbstlaut passt?

1.

___mpel

A 22 | E 23

2.

Kan___

o 22 | u 20

3.

___rdbeere

A 21 | E 23

4.

___gel

I 21 | E 19

5.

H___rz

o 20 | e 18

6.

___fen

u 18 | O 19

Welche Selbstlaute passen?

7.

8.

9.

10.

11.

12.

e a	e e a	i u i	a a ei	o o i	a o
16	17	24	14	15	13

Silben schwingen und genau hören 1

Jede Silbe hat einen Selbstlaut.
Finde die passenden Endungen.

1. Ranz___  el 22 / er 15 / en 24

2. Apf___  el 22 / er 21 / en 19

3. Räub___  el 23 / er 19 / en 18

4. Wurz___  el 23 / er 14 / en 16

5. Gart___  el 18 / er 21 / en 14

6. Hauf___  el 13 / er 16 / en 21

7. Drach___  el 20 / er 18 / en 16

8. Flüg___  el 18 / er 20 / en 13

9. Box___  el 17 / er 20 / en 13

10. Mix___  el 17 / er 13 / en 15

11. Ig___  el 17 / er 15 / en 20

12. Tig___  el 22 / er 15 / en 19

Silben schwingen und genau hören 2

Wie heißen die Wörter zu den Bildern?
Sprich in Silben.

1.  Re
2.  We
3.  Eichhörn
4.  Vo
5.  Ne
6.  Dezem

gel 10
bel 1
gen 9
cker 11
ber 12
chen 8

7.  Zwie
8.  Kä
9.  Stän
10.  Dau
11.  Kanin
12.  Zu

cker 6
men 2
fer 3
bel 5
gel 7
chen 4

Nomen kennenlernen und ordnen 1

Mensch, Tier, Pflanze oder Ding?
Ordne zu.

1. 
Hase

2. 
Blume

3. 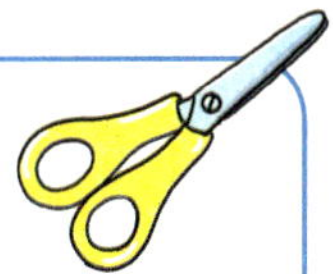
Schere

4. 
Frau

Mensch 12 Tier 11 Pflanze 7 Ding 10

5. 
Pferd

6. 
Junge

7. 
Brot

8. 
Gras

Mensch 8 Tier 3 Pflanze 5 Ding 1

9. 
Hose

10. 
Ast

11. 
Tiger

12. 
Mann

Mensch 2 Tier 6 Pflanze 4 Ding 9

Sprachbuch, S.22 | Übungsheft, S.13 | Spracharbeitsheft A, S.27/28

Nomen kennenlernen und ordnen 2

Der, die oder das? Ordne den passenden Artikel zu.

			der	die	das
1.		Tasche	23	24	20
2.		Ufo	21	23	22
3.		Daumen	19	20	21
4.		Busch	23	21	22
5.		Nase	12	13	15
6.		Haufen	21	17	18
7.		Seife	14	15	16
8.		Wildschwein	18	16	17

Ein oder eine? Ordne den passenden Artikel zu.

			ein	eine
9.		Raupe	19	20
10.		Buch	14	16
11.		Schirm	18	17
12.		Qualle	15	16

Nomen kennenlernen: Einzahl und Mehrzahl 1

Ordne die Nomen zu.

			e	n	en	er
1.	das Tier 	viele ___	20	22	23	21
2.	die Zahl	viele ___	23	21	24	22
3.	das Gesicht	viele ___	19	22	20	21
4.	die Wurzel	viele ___	20	19	18	22
5.	das Hemd 	viele ___	17	18	15	16
6.	der Tag	viele ___	23	24	22	20
7.	das Kind 	viele ___	15	14	16	17
8.	die Frau 	viele ___	18	14	13	15
9.	die Woche	viele ___	19	22	18	20
10.	das Kleid 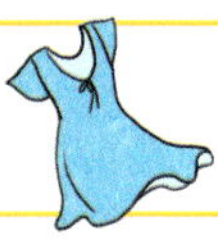	viele ___	18	15	17	16
11.	der Monat	viele ___	14	16	19	20
12.	die Schwester	viele ___	13	18	15	17

Nomen kennenlernen: Einzahl und Mehrzahl 2

Wie verändert sich der erste Vokal, wenn du die Mehrzahl bildest?

				o → ö	u → ü
1.	die Tochter		viele T___chter	8	3
2.	der Wurm		viele W___rmer	2	12
3.	der Vogel		viele V___gel	10	12
4.	der Bruder		viele Br___der	4	7
5.	das Buch	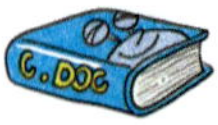	viele B___cher	1	3
6.	das Wort		viele W___rter	11	4

Verändert sich das Wort in der Mehrzahl?

	Wort	Ja	Nein
7.	das Fenster	Ja 8	Nein 5
8.	der Tisch	Ja 1	Nein 10
9.	der Besen	Ja 7	Nein 9
10.	das Zimmer	Ja 5	Nein 4
11.	der Pinsel	Ja 7	Nein 2
12.	die Tür	Ja 6	Nein 9

Großschreibung von Nomen beachten

N↑

Welche Wörter sind Nomen?

1. TIER — 😊 10 — ☹ 12

2. PARK — 😊 12 — ☹ 2

3. FEIN — 😊 6 — ☹ 7

4. BEIN — 😊 9 — ☹ 8

5. TURNT — 😊 9 — ☹ 2

6. ZEIT — 😊 11 — ☹ 5

7. NAME — 😊 6 — ☹ 4

8. GRÜN — 😊 1 — ☹ 4

9. OHR — 😊 8 — ☹ 11

10. ÜBT — 😊 7 — ☹ 1

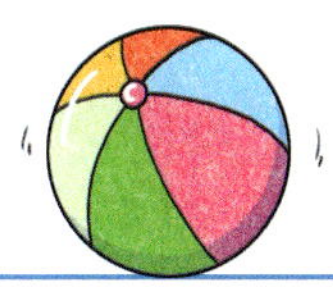

11. BALL — 😊 3 — ☹ 2

12. HART — 😊 12 — ☹ 5

Ähnliche Laute richtig schreiben

Wie klingt das **ch** in dem Wort?

		Das **ch** klingt wie in Kirche	Das **ch** klingt wie in Dach
1.	Nacht	11	8
2.	riechen	10	6
3.	Milch	11	12
4.	suchen	1	7
5.	Licht	6	2
6.	Drachen	10	9

Welche Wörter reimen sich?

7.	8.	9.	10.	11.	12.
dicht	Bauch	weich	Buch	noch	machen

Tuch	doch	nicht	lachen	Rauch	reich
5	1	4	3	2	12

Sprachbuch, S.34 | Übungsheft, S.21/25 | Spracharbeitsheft A, S.45

Verben kennenlernen 1

Was tun die Kinder? Und was tut der Hund?
Ordne die Verben den passenden Bildern zu.

basteln	tanzen	malen	essen	schreiben	lesen
20	24	22	23	21	13

klettern	trinken	bellen	laufen	wippen	springen
17	14	15	16	18	19

Verben kennenlernen 2

Welche Grundform passt zur Ich-Form?

	Ich-Form	Grundform
1.	Ich gehe	fahren 19
2.	Ich fahre	pfeifen 20
3.	Ich lache	gehen 23
4.	Ich sehe	rechnen 15
5.	Ich rechne	lachen 22
6.	Ich pfeife	sehen 24

Erkenne die Verben.

7. lecker 14 | singen 13

8. spielen 17 | hart 18

9. Baum 16 | machen 21

10. schwimmen 16 | immer 13

11. kriechen 18 | heute 17

12. hier 22 | essen 14

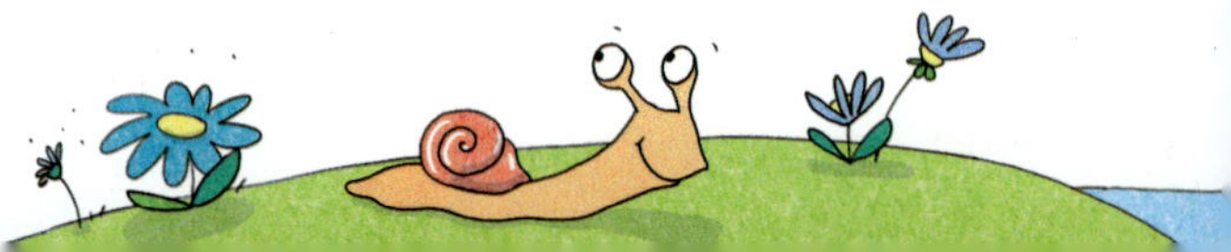

Sprachbuch, S.35 | Übungsheft, S.22 | Spracharbeitsheft A, S.48

Sätze erkennen

Wo ist der Satz zu Ende?

1. Wir haben // 19 Wandertag // 23 Wir // 24 besuchen
2. einen // 15 Bauernhof // 19 Die // 14 Kühe
3. grasen // 22 Im // 18 Schatten // 24 liegt
4. eine // 20 Katze // 24 Lea // 16 streichelt
5. die // 18 Katze // 15 Sie // 14 schnurrt.

6. Hühner // 17 picken // 21 Körner // 20 Auf
7. dem // 16 Hof bellt // 23 der Hund // 14 Er
8. hat Anna // 13 gesehen // 18 Anna // 16 fängt
9. Marie // 21 Beide // 17 rennen.
10. Schnell // 24 sind // 20 sie weg // 16 Auf dem Teich
11. schwimmt // 19 die // 13 Ente // 17 Die Küken sind
12. bei ihr // 13 Der Ausflug // 15 ist // 14 schön.

Großschreibung am Satzanfang beachten

Groß oder klein? Wie wird das Wort an dieser Stelle geschrieben?

Heute geht Lena nach der Schule zu Tom. 1. r wohnt neben dem 2. roßen Spielplatz. 3. rst essen sie Pfannkuchen. 4. emeinsam räumen sie den Tisch ab. 5. it den Hausaufgaben 6. ind sie bald 7. ertig. 8. ann können sie endlich 9. uf den Spielplatz. 10. as Kletternetz mag Lena am liebsten. 11. m fünf Uhr 12. olt Papa sie ab.

Ausschnitt	klein	groß
m. 1. r wohnt	e 19	E 24
2. roßen Sp	g 22	G 13
lplatz. 3. rst es	e 23	E 19
chen. 4. emeins	g 15	G 23
ab. 5. it den H	m 17	M 13
ben 6. ind sie b	s 21	S 20
7. ertig.	f 15	F 18
tig. 8. ann	d 16	D 17
ch 9. uf den Sp	a 20	A 14
tz. 10. as	d 18	D 14
ebsten. 11. m fü	u 23	U 18
Uhr 12. olt Papa	h 16	H 24

Ähnliche Laute unterscheiden 1

Beginnt das Wort mit **G** oder mit **K**?
Sprich die Wörter. Was klingt richtig?

G 19 | K 20

1. ___arte

G 24 | K 17

2. ___arten

G 15 | K 21
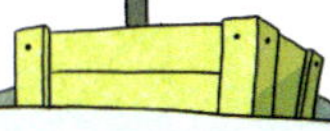
3. ___iste

G 19 | K 20

4. ___esicht

G 15 | K 23

5. ___emüse

G 13 | K 23

6. ___erze

G 17 | K 16

7. ___eld

G 22 | K 13
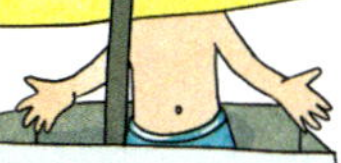
8. ___örper

G 14 | K 22

9. ___atze

G 18 | K 16

10. ___älte

G 14 | K 17

11. ___ras

G 18 | K 20

12. ___urke

Ähnliche Laute unterscheiden 2

Beginnt das Wort mit **B** oder mit **P**?
Sprich die Wörter. Was klingt richtig?

1. 
___inguin
B 6 | P 12

2. 
___usch
B 8 | P 1

3. 
___latz
B 8 | P 9

4. 
___uppe
B 7 | P 11

5. 
___rot
B 3 | P 10

6. 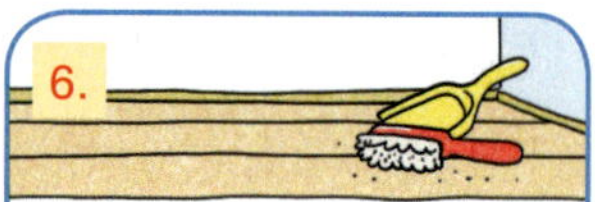
___oden
B 7 | P 5

7. 
___ark
B 12 | P 1

8. 
___insel
B 2 | P 5

9. 
___ein
B 10 | P 4

10. 
___lüte
B 4 | P 8

11. 

___lakat
B 11 | P 6

12. 
___ücherei
B 2 | P 3

Adjektive 1

Welche Adjektive passen?

alt 13

groß 14

jung 17

lang 18

klein 16

kurz 21

Wie sind die Dinge auf den Bildern?

7. Der Bleistift ist ______.

8. Das Auto ist ______.

9. Die Hose ist ______.

10. Der Ball ist ______.

11. Die Tasse ist ______.

12. Das Kleid ist ______.

dreckig 15

spitz 23

kaputt 20

bunt 24

rund 22

teuer 19

Adjektive 2

Finde die Adjektive.

1.	2.	3.
HUND 9	KALT 10	DACKEL 2
HALTEN 2	WALD 6	DUNKEL 11
HOCH 8	WANDERN 9	DANKEN 6

4.	5.	6.
MUT 1	DICK 5	GEBEN 5
MUTIG 7	FREUNDE 1	NEU 9
RUFEN 3	MALEN 3	HAND 3

Welches Adjektiv passt?

eine 7. Uhr	ein 8. Mantel	ein 9. Kissen
roter 1	weiches 12	eckige 3

eine 10. Zeit	ein 11. Tag	ein 12. Märchen
gruseliges 4	lange 6	nebliger 2

Mit Sprache experimentieren: Geheimschriften

Kannst du die geheimen Botschaften entschlüsseln?
Ordne die fehlenden Buchstabengruppen zu.
Schreibe die Botschaften auf.

1.	R_tk_ppch_n	o ä e 15
2.	w_llt_	a 16
3.	_m	u e 23
4.	W_ld	o e 13
5.	Bl_m_n	ü e 14
6.	pfl_ck_n	i 18
7.	_nd	o 20
8.	b_g_gn_t_	a ei 17
9.	d_b_	u 19
10.	d_m	e e e e 21
11.	b_s_n	e 24
12.	W_lf.	ö e 22

1.	D_r	äu 22
2.	b_e	otz 20
3.	R_ber	e 19
4.	H_enplotz	ös 23
5.	übe_llt	asp 24
6.	K_erls	rfä 16
7.	Gr_utter	ühl 17
8.	un_	hr 15
9.	_aut	oßm 18
10.	i_e	d 14
11.	n_e	kl 21
12.	Kaffeem_e.	eu 13

Rechtschreibstrategien verwenden: Schwingen (r)

Verbinde die Silben.

1.		Ker	ze 21
2.		Kir	ten 24
3.		star	de 18
4.		Gur	che 19
5.		Er	ve 20
6.		Kur	ke 22

Wie kannst du verlängern? Verbinde.

7.		warm	stürmisch 23
8.	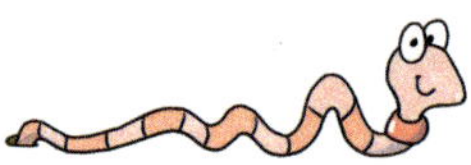	Wurm	Sterne 15
9.		Sturm	Würmer 16
10.		vorn	vorne 17
11.		Stern	schärfer 13
12.		scharf	wärmer 14

Großschreibung und Zeichensetzung beachten

N↑

Wo fehlt ein Punkt?

1. tom 1 will 3 baden 2 er 9 packt 7 seine 8
2. tasche 9 sein 11 handtuch, 4 wasser 6 und 12
3. sein 10 buch 2 nimmt 4 er 8 mit 5 unterwegs 1
4. holt 9 er 6 anna 3 ab 1 sie 12 bringt 4
5. kekse 4 und 8 äpfel 9 mit 11 gemeinsam 3
6. gehen 5 sie 7 zum 6 see 10

Wie müssten diese Wörter **im Text** richtig geschrieben sein? Achte auch auf die Begründung!

	Satzanfang: groß	Nomen: groß	klein
7. packt	11	9	3
8. tasche	8	7	3
9. nimmt	11	9	6
10. unterwegs	12	9	3
11. gemeinsam	8	1	6
12. see	1	4	3

Sprachbuch, S.58 | Übungsheft, S.37/41 | Spracharbeitsheft B, S.28

Fragesätze kennenlernen

Verbinde die Fragen mit den passenden Antworten.

1. Wie heißt du?
2. Hast du Geschwister?
3. Wo wohnst du?
4. Spielst du gerne Fußball?
5. Wie alt bist du?
6. Wann hast du Geburtstag?

- Ich habe im April Geburtstag. 24
- Ich bin acht Jahre alt. 16
- Ich heiße Cem. 19
- Wir sind in die Mozartstraße gezogen. 21
- Ich habe eine Schwester. 23
- Ja, Fußballspielen macht mir Spaß. 20

Welches Satzzeichen fehlt, Punkt oder Fragezeichen?

		.	?
7.	Wie war es heute in der Schule ___	15	17
8.	Es war schön ___	13	22
9.	Ich habe einen neuen Mitschüler ___	22	14
10.	Wer ist es denn ___	18	15
11.	Er heißt Cem ___	14	17
12.	Er wohnt nur eine Straße weiter ___	18	20

Adjektive kennen: Gegensätze

Ordne die Gegensätze richtig zu.

langsam 15	leicht 16	nass 20	fröhlich 13	süß 14	rund 23
einfarbig 21	leise 19	hart 22	voll 24	kalt 18	dick 17

Rechtschreibstrategien verwenden: Verlängern (d-t) 1

Verlängere die Wörter:
Musst du **d** oder **t** schreiben?

1.

spannen ___

d 1 | t 9

2.

lau ___

d 5 | t 3

3.

Bil ___

d 6 | t 7

4.

Hem ___

d 2 | t 11

5.

Plaka ___

d 2 | t 11

6.

Boo ___

d 10 | t 4

7.

bun ___

d 3 | t 10

8.

gesun ___

d 7 | t 12

9.

blon ___

d 5 | t 8

10.

Ba ___

d 12 | t 6

11.

As ___

d 4 | t 8

12.

Fel ___

d 9 | t 1

Rechtschreibstrategien verwenden: Verlängern (d-t) 2

Verlängere die Wörter:
Musst du **d** oder **t** schreiben?

1.

brei___
d 6 | t 2

2.

Lie___
d 6 | t 1

3.

Win___
d 3 | t 10

4.

Lan___
d 1 | t 7

5.

gu___
d 8 | t 9

6.

Ra___
d 5 | t 11

7.

Ban___
d 11 | t 12

8.

Hau___
d 8 | t 7

9.

Saf___
d 3 | t 4

10.

Pake___
d 2 | t 10

11.
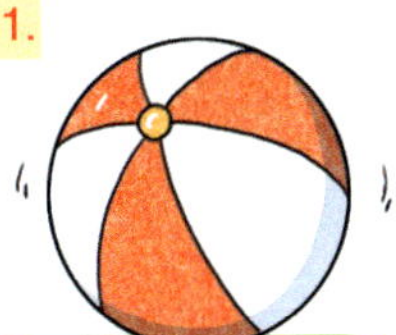
run___
d 8 | t 5

12.

Mu___
d 4 | t 12

Laute den richtigen Buchstaben zuordnen (St/st – Sp/sp)

Welcher Anlaut passt? Wähle aus.

	Sp	sp	St	st	
1.	10	9	4	5	____ein
2.	2	1	7	6	____inat
3.	7	5	9	10	____ielen
4.	10	7	3	1	____ern
5.	5	7	3	11	____aunen
6.	7	1	5	3	____ät
7.	8	11	10	7	____ark
8.	2	12	9	10	____off
9.	4	6	12	3	____azieren
10.	12	8	3	11	____ort
11.	3	2	10	4	____olz (Nomen)
12.	8	3	12	2	____eisekammer

Wortstamm und Wortfamilien erkennen 1

Welche Wörter mit dem Wortstamm **BADE** kannst du bilden? Ordne zu.

1. 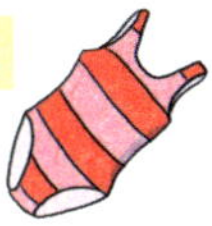

2. 

3. 

4. 

5. 

6. 

BADE

MEISTER 24
MANTEL 22
VERBOT 13
WANNE 23
HOSE 19
ANZUG 21

Welche Wörter mit dem Wortstamm **Schwimm** kannst du bilden? Ordne zu.

7. 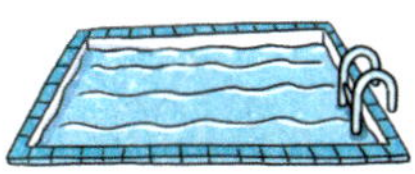

8. 

9. 

10. 

11. 

12. 

SCHWIMM

ABZEICHEN 20
GÜRTEL 16
RING 15
BAD 17
WESTE 18
FLOSSEN 14

Wortstamm und Wortfamilien erkennen 2

Welche Wörter mit dem Wortstamm **FAHR** kannst du bilden? Ordne zu.

1. 

2. 

3. 

4. 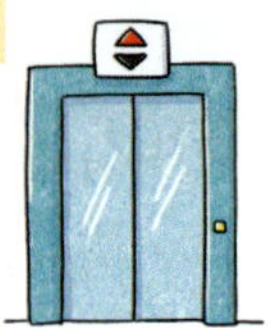

5. 

6. 

FAHR

PREIS 12
LEHRERIN 3
STUHL 2
PLAN 1
SCHEIN 4
SCHULE 6

Welche Wörter mit dem Wortstamm **FAHR** und **FAHRT** kannst du bilden? Ordne zu.

7. 

8. 

9. 

GE 10
KREUZ 7
VOR 9
AUS 11

FAHR
FAHRT

ER 5
RAD 8

10. 

11. 

12.